Cenicienta
Cinderella

Published by Scholastic Inc., 90 Old Sherman Turnpike, Danbury, Connecticut 06816,
by arrangement with Combel Editorial.

ISBN 0-545-02584-2

This product is available for distribution only through the direct-to-home market.

12 11 10 9 8 7 6 5 4 3 2 1   6 7 8 9 10 11/0

Printed in the U.S.A.

First Scholastic printing, May 2007

Cenicienta
Cinderella

Adaptación/*Adaptation* Darice Bailer

Ilustraciones/*Illustrations* Maria Espluga

Traducción/*Translation* Madelca Domínguez

SCHOLASTIC INC.

New York   Toronto   London   Auckland   Sydney
Mexico City   New Delhi   Hong Kong   Buenos Aires

Había una vez una vez una niñita muy hermosa. Era buena, dulce y muy generosa. La niña era muy pequeña cuando murió su mamá y la extrañaba mucho.

"Mi hija necesita una nueva mamá", pensó el papá, y se casó de nuevo.

Once upon a time there was a beautiful little girl. She was good and sweet and kind. When the little girl was very young her mother died, and she missed her terribly.

My daughter needs a new mother, her father thought, and so he married again.

La nueva mamá de la niña había estado casada anteriormente y tenía dos hijas. Las tres eran malvadas y presuntuosas. Muy pronto, la madrastra de la niña sintió celos de ella porque era muy linda y buena.

———∞∞∞———

The girl's new mother had been married before and already had two daughters. All three were mean and selfish. Soon the girl's stepmother became jealous of her new daughter because she was so pretty and kind.

La malvada madrastra obligaba a la niña a vestirse con ropas harapientas y la hacía trabajar todo el día.

—¡Limpia las cuencos y barre el piso, Cenicienta! —le decía.

The evil stepmother made the little girl wear rags and work all day long.

"Scrub these pots and sweep the floor, Cinderella!" she ordered.

Un día, recibieron una invitación. El hijo del Rey las había invitado a un baile en el palacio real.

Cenicienta miró con tristeza sus harapos y se dio cuenta de que ella no podría asistir.

One day they received an invitation. The King's son had invited them to a ball at the Royal Palace.

Cinderella imagined dancing with the Prince. . . and realized that she could not go.

—Me pondré mi falda de seda —dijo una de las hermanastras de Cenicienta.

—Y yo me pondré mi collar de diamantes —dijo la otra.

Cenicienta planchó sus vestidos de fiesta y las ayudó a trenzarse los cabellos.

"I am going to wear my silk skirt," one of Cinderella's stepsisters said.

"And I am going to wear my diamond necklace," said the other.

Cinderella ironed all of their evening gowns and helped them braid their hair.

Cuando llegó el día del baile, Cenicienta despidió con tristeza a sus hermanas. "Si yo pudiera ir con ellas", pensó, y se puso a llorar.

When the day of the ball arrived, Cinderella sadly watched her sisters leave. If only I could go with them, she thought, and she started to cry.

De pronto, ¡apareció un hada madrina! Con un toque de su varita mágica convirtió una calabaza en un carruaje, seis ratones en caballos y una rata en cochero. Finalmente, el hada madrina usó su magia para vestir a Cenicienta con un lujoso traje de fiesta y le dio unos zapatos de cristal para que fuera al baile.

Suddenly, a fairy godmother appeared! She waved her magic wand and turned a pumpkin into a carriage, six mice into horses, and a rat into a coachman. Finally, the fairy godmother used her magic to dress Cinderella in a jeweled gown and glass slippers so she could go to the ball.

En el palacio, el Príncipe conoció a Cenicienta e inmediatamente se enamoró de ella. Bailaron toda la noche. Cuando el reloj dio las doce, Cenicienta salió corriendo y perdió uno de sus zapatitos de cristal. La magia del hada madrina desaparecería a medianoche.

At the Palace, the Prince met Cinderella and instantly fell in love with her. They danced all night.

As the clock chimed twelve, Cinderella raced off, losing one of her glass slippers. The fairy godmother's magic spell would be broken at midnight.

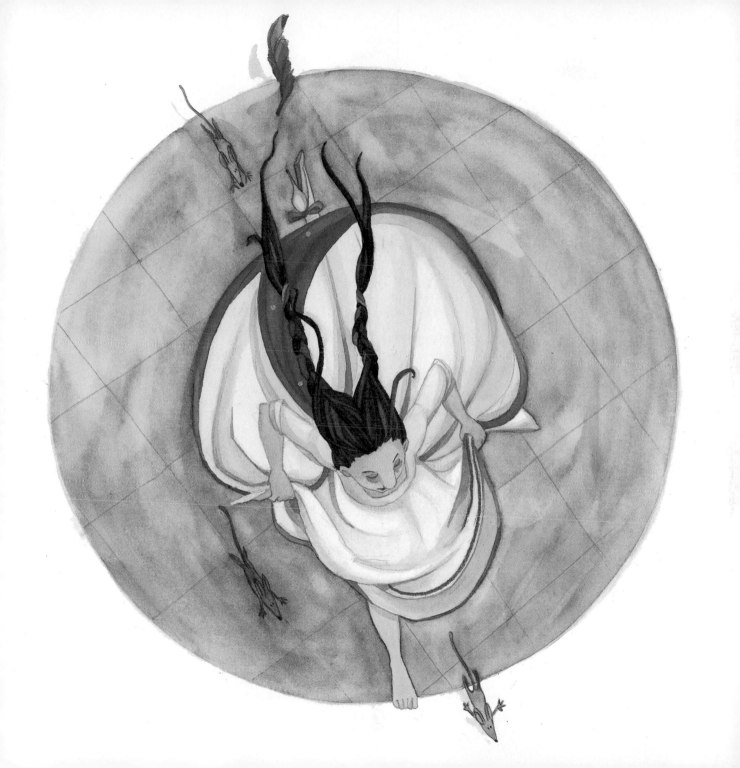

—¡Espera! —le gritó el Príncipe. Ni siquiera sabía el nombre de Cenicienta.

El Príncipe recogió el zapatito de Cenicienta y decidió probárselo a todas las muchachas de su reino hasta que encontrara aquella de la cual se había enamorado. Entonces, se casaría con ella.

"Stop!" cried the Prince. He didn't even know Cinderella's name.

The Prince picked up her tiny glass slipper and decided to try it on every girl in the land until he found the girl he fell in love with. Then, he would marry her.

El Príncipe llegó a casa de Cenicienta.

—¡Quizás me sirve el zapato! —gritaron las hermanas al mismo tiempo, pero el zapato era demasiado pequeño para sus pies enormes.

—Quizás el zapato me sirve a mí —susurró Cenicienta.

Finally, the Prince arrived at Cinderella's house.

"Maybe that slipper will fit me!" the stepsisters shouted together, but the shoe was too tiny for their big feet.

"Maybe it will fit me," Cinderella said quietly.

El zapato le sirvió a Cenicienta. Entonces, sacó el otro zapato de su bolsillo. Ella era la muchacha de la que se había enamorado el Príncipe.

Cenicienta y el Príncipe se casaron. Ella perdonó a sus malvadas hermanastras y las invitó a vivir en el palacio, y fueron felices para siempre.

The slipper fit Cinderella perfectly. Then, she pulled the matching shoe out of her pocket. She was the girl who had won the Prince's heart.

Cinderella and the Prince were married. She forgave her mean stepsisters and invited them to live with her in the palace, happily ever after.